④ ゲジ・ムカデ・クモ・サソリ

かがくるBOOK

目次

第1章　あしの数は何本？　ゲジとムカデ

＊イラストでは、いきものをデフォルメしています。

第2章　クモとサソリは親戚？

登場人物

エッグ博士

ギャグ力★★★★★

- **誕生日** 6月15日（ふたご座）
- **血液型** A型
- **今回のミッション**

①ゲジを見送る ②ムカデと同盟を結ぶ

③クモの森を訪問する ④タランチュラに勝つ

ヤン博士

共感力★★★★★

- 誕生日　1月1日（やぎ座）
- 血液型　AB型
- 今回のミッション

①クワガタムシのぬいぐるみを見つける

②おやつの鶏肉の用意

③アジアンフォレストスコーピオンの撮影

ウン博士

観察力★★★★★

- 誕生日　2月17日（みずがめ座）
- 血液型　A型
- 今回のミッション

①アフリカオオヤスデとゲジの観察レポート作成

②ムカデの子どもの隔離

③2種類のサソリの生態をくらべて説明

第1章

あしの数は何本？ ゲジとムカデ

たくさんのあしを持ったいきものがエッグ博士の事務所に来たよ〜！

真冬のゲジ

＊キリマンジャロ：アフリカ大陸のタンザニアにある標高5895mの山。

＊カネムシ：ゲジは暖かい場所に現れることが多かったため、韓国では昔、お金持ちの家に現れる虫＝カネムシと呼ばれたそうです。

あれ？
カネムシだ！ カネムシを見ると金持ちになるんだって！
モゾ
モゾ
じゃ、放っておこう。
カネムシと言って俺を助けてくれたありがたい人々……。
キャッ！
気持ち悪いゲジめ！出てけ！
ウッ、あしが50本以上ありそう！
ヒーッ
でもほとんどは俺のことを気味悪がって追い出すのさ……。

今年の冬は暖かい場所が見つかるかな？
シュン

え？

チーム・エッグ
ヨロ
ヨロ
ああ、あそこ！暖かそう！

スーッ
あれ？
あっ！
ふん、ゲジめ！なぜここに!?
こんな真冬にカが!?
あくどいやつだな……。今まで人間にくっついて生き延びたのか？
こっちのセリフだ！毎回追い出されながらノコノコ這ってくるとは！
ジジ
ジ
ZZZ

うるさい！
ち、
近寄るな！
ブーン
ササササ
ムニャ
うん……？
ガバッ
ウワアッ！
ゲ、ゲジだ！
ムニャ
ブ〜ン
ど、
どうしたの!?
電気
つけて！
ポッ……
ポッ……
ウッ、まずは
逃げるぞ！
サササザッ

ボリ
ああ、かゆい。ゲジにかまれたみたい。
ボリ
ボリ
まさか。

ゲジは怖がりだから逃げはしてもかむことはあまりない。かんでもチクッてするくらいさ。
ボリ
ボリ
でも本当にかまれたんだ。

確かに目が合ったんだ……。ほら証拠もあるだろ。
ゲジが落としたあしだね。
ククク
アホめ！ワタシが刺したのさ。

ブーン
エーン、かゆい～。
ピクッ
あれ!?

シッ、みんな静かにして！

ブ〜ン
ブ〜ン
ピクッ
事務所にカがいるみたいだね？
犯人はカか！こいつめ！やっつけるぞ！
メラメラ

パタ
パタ
こっちはいない。
ここか？
ゴソ
ガサ
絶対見つけてやる！
ヒョイ
ヒョイ
フフ、絶対見つかるもんか。
フフフ
俺がかんだという誤解は解けた。
フゥ

３時間後
僕はもう寝る。
チーム・エッグ
事務所

僕も寝る……。
ドタッ
真剣
見てろ。徹夜してでも見つけてやる。

ブーン
ハッ
カだ！

コクリ
コクリ
ム……、ニャ……。

ただじゃおかないぞ！
コソ
コソ
ブ〜ン
ブ〜ン

パチッ
見つけ……！
あれ……？
ゲジ！
ドチッ
ヒャッ
すごい！
一瞬で力を
捕まえるとは！
オオ〜
ハッ、
大変だ！

パチッ
ゴクッ

見てない
ふりするから
サッ
続けて。
え？

2人とも、これ見て！
チーム・エッグ
事務所

夜にまたゲジが動き回ったみたい！
パラパラ

やっぱり追い出さなきゃ。

そんな必要ないよ〜。

調べてみたらかなりよい虫さんだよ。まず一緒に過ごしてみよう。
ゲジは害虫を食べる益虫です。
わかった、賛成。
僕も賛成。
フ〜、よかった！

ゲジのいろいろな特徴

ゲジは、＊節足動物の多足類に属する生物で、細長い胴体と複数の対になったあしを持っています。ゲジのいろいろな特徴を見ていきましょう。

1．好きな場所

ゲジは暖かくて湿った場所が好きだよ。
韓国では、昔、お金持ちの家の蔵でよく見つかったからカネムシと呼ばれたんだよ。

2．活動する時間帯

ゲジは人を避けて夜に動き回るよ。たまに人をかむことがあるけど、かんでも大きな害はないよ。

3．習性

ゲジはピンチになるとあしを落として逃げる習性があるよ。

4．えさ

ゲジは小さな害虫を食べるから人に役立つ益虫なんだよ。

＊節足動物：体が外骨格におおわれ、体節がはっきりしている動物で、各体節には関節のあるあしがある。

本格観察！　アフリカオオヤスデとゲジ

カシャッ
ヤン博士！
落ち着かない！
あとで撮ってくれない！?
集中できん！
ポキッ
カシャッ
カシャッ

へへ。今じゃなきゃ
この子たちの写真が
撮れないからね。
へへ
?
そりゃ、この子たちは
数日後には帰るから……。
ウン博士、数日だけ
預かって。
いいよ！
カシャッ
カシャッ
おー、
柔らかい！
カシャッ
カシャッ
あしがすごく
多い！

ウン博士、この子たちはどこにすんでるの？
岩や倒れた木の下といった暗くてじめじめした場所にすんでるよ。
ZZZ
アフリカオオヤスデ
オビヤスデの仲間
生息地：日本、韓国など

ムカデがすんでいる場所と似てるね。
うん、それでヤスデはムカデと一緒に見つかることもあるんだ。

すんでいるところが似ているから？ムカデとすごく似てる。
考えてみたらおとといい事務所に入ってきたゲジとも似てる。体が長くてあしがすごく多い。
ムカデ
ゲジ

ビンゴ！　ヤスデ、ムカデ、ゲジなどを合わせて多足類って言うんだ。
多足類？

多足類について知ろう！

節足動物のうち、たくさんのあしを持つ仲間を多足類と呼びます。ヤスデやムカデ、ゲジなどが含まれます。体はいくつもの体節に分かれていて、ふつうは、その体節ごとに１対（２本）のあしがついていますが、ヤスデは第４または第５胴節以降には２対のあしがあります。

ヤスデの仲間

ムカデの仲間

ゲジ

ゲジは生物の分類としては、ムカデの仲間に分類されます。

ワラジムシ

こっちにおいで。君は僕らと同じ甲殻類だよ。

カニ

エビ

アフリカオオヤスデを
飼ってる人は結構いるけどゲジを
飼う人はいないよね？
ノ〜！
フム

そんなこと
ないよ！
ゲジの仲間のオオゲジを
ペットとして飼う人も
いるみたいだよ。
ザッ

それにうちの
事務所のどこかに
ゲジがすんでいるから
僕らも飼ってるのと
同じさ。
キョロ
キョロ
そ、そうか？
そうとも
言えるけど。

でも逃げ回ってるから
えさをあげたくても
あげられないんだ。
腹ペコじゃ
ないかな？
ミルワーム
コオロギ

心配すんなって。
食欲はすごいから
事務所のどこかで害虫を
食べてるさ。
グーッ！

もう少し見た目が
かわいいと人気が
出るだろうに。
いじめられるからかすごく
人目を気にしてたよ……。
ビクッ
切ない

よし、ゲジさんをかっこよく
撮影して、ゲジさんの魅力を
みんなに伝えよう！
でも、
ゲジさんをどうやって
見つける？
ゲ、ゲジさん？
ギョッ

フフ、僕たちは誰だい。
隠れたいきもの探しの
達人じゃないか！
見つけた！
元気〜！
フン！
じゃ、
実力を発揮
しようか？
その通り。
フフフフフ

作戦1
電灯を消して
えさで誘う
出てこい、
出てこい！
作戦2
天敵のぬいぐるみ隠し
安心して。
ゲジさん。
アナグマ
鳥
トカゲ
もう出てきても
大丈夫。
ドサッ
ゲジ探し
大作戦！
ここにはいない。
どうぞ。
以下同文、
どうぞ。
作戦3
毎晩監視
以下同ブッ、
どうぞ。
ウッ
スッ
しっかり隠れたかい、
触角が見えるからね。
ヒョイ
作戦4
積極的な捜索活動

しかし、結果は……。
うっ、到底
探すの無理。
ああ、ゲジさん。
君はすごいね。
ハァ
ハァ
フウ
……。

このままずっと
探(さが)せないのかも？
もう外(そと)に出(で)たん
じゃない？
ボ〜

アフリカオオヤスデは
こんなにうまく撮(と)れた
のに……。
トン
トン

あれ？
これゲジじゃない？
どれどれ？

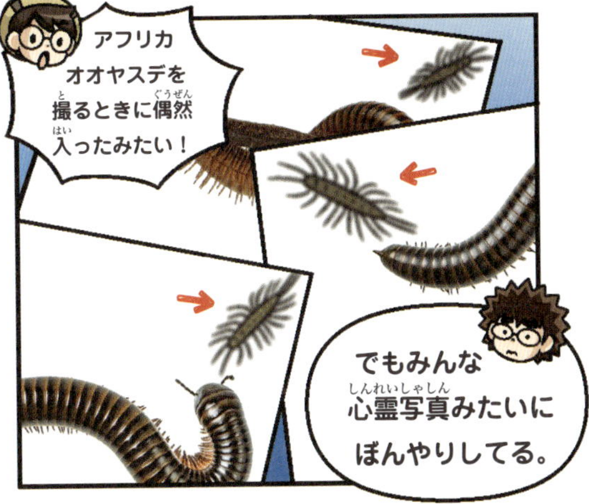
アフリカ
オオヤスデを
撮(と)るときに偶然(ぐうぜん)
入(はい)ったみたい！
でもみんな
心霊写真(しんれいしゃしん)みたいに
ぼんやりしてる。

あっ、
これ！　ちゃんと
撮(と)れてる！
ハッキリ
ラッキー、
拡大(かくだい)してみよう！

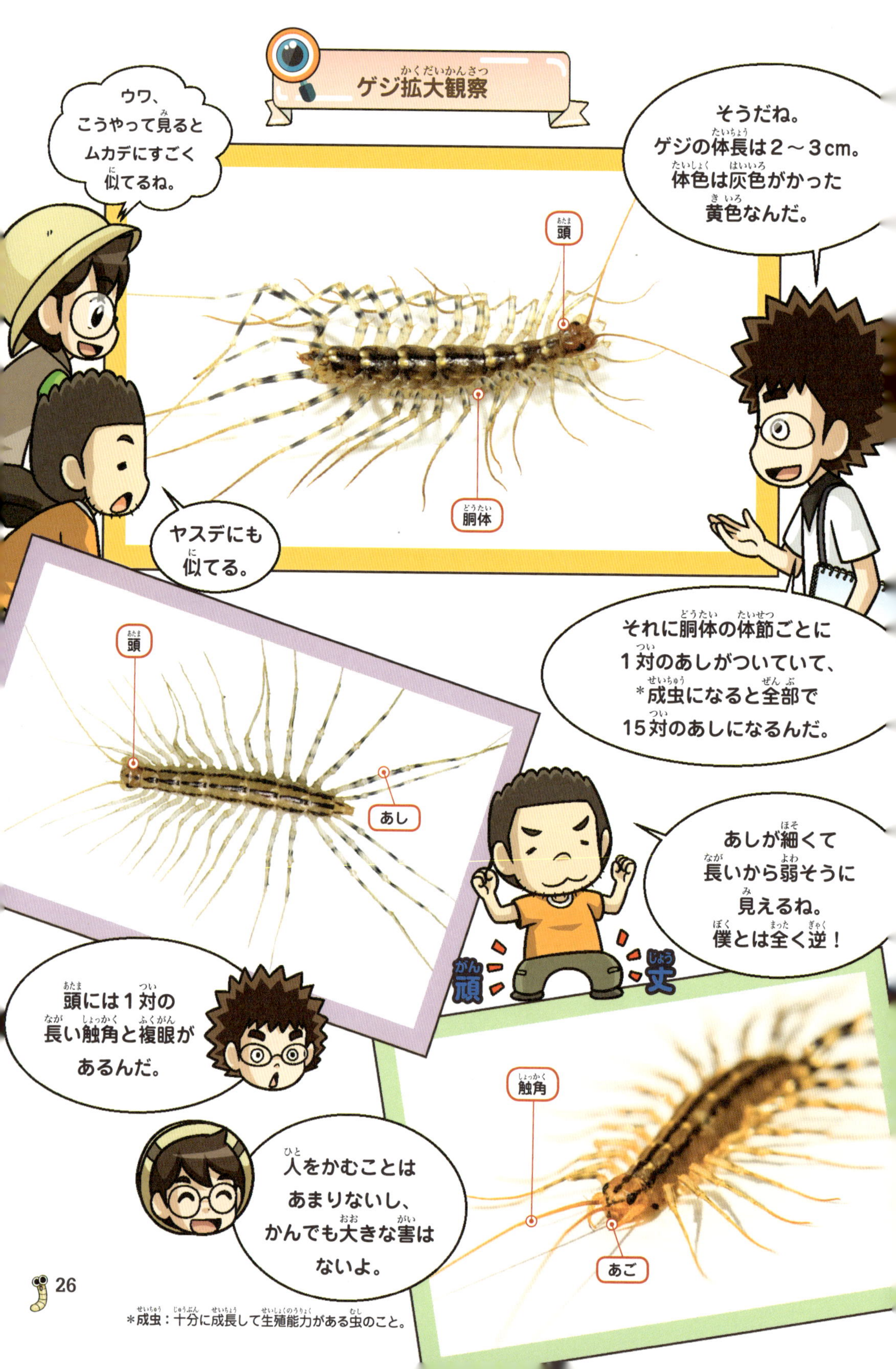

＊成虫：十分に成長して生殖能力がある虫のこと。

よく見るとゲジさんも、
と、とても……、かわいいよね？
もっと愛されてもいいよね。
そうかな。僕らの好みじゃないね。
イヤ
イヤ

みんな、どんないきものも
よく見ればかわいい
ところがあるもの……。
カチャッ

ゲーッ、
ビックリ！
ゲジの顔
ドドーン
パッ
ウワッ
大目に見てよ、
博士たち。
君が拡大
したんだぞ。
実は
エッグ博士も
慣れてなかった
のか。

多足類の仲間を探せ！

森の中にいろいろないきものが集まっています。
この中で多足類の仲間を見つけて○をつけましょう。

ヒント ゲジ、ムカデ、アフリカオオヤスデ、ヤスデ

正解：150ページ

第3話

自由に脱皮！

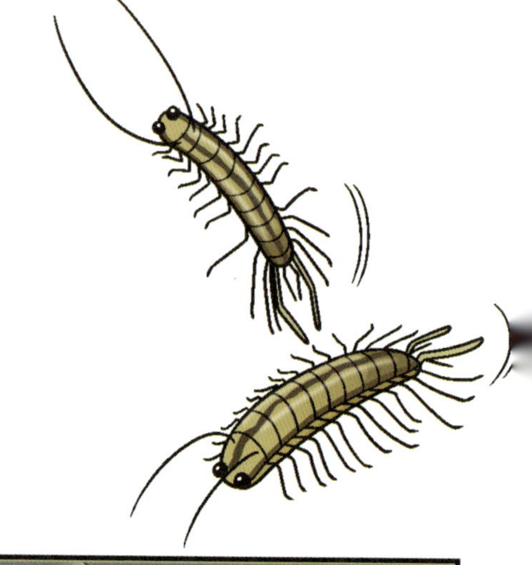

……。
ZZZ
……。
ZZZ

ササササッ
何だ？

ササササッ
人がいないとすごく騒ぐね。普段は静かなのに。
何だ。またあいつ？
?
アフリカオオヤスデ飼育ケース
ガブッ
アリ

え？
毎回狩りをするのは
大変じゃない？ 僕らみたいに
らくに飼われたらどう？
おーい、
ゲジ！
孤独だが
自由な暮らし。それが
俺らゲジの運命さ。
そうだな……、
俺はそんならくな暮らしに
慣れてないんだ。
ビュー

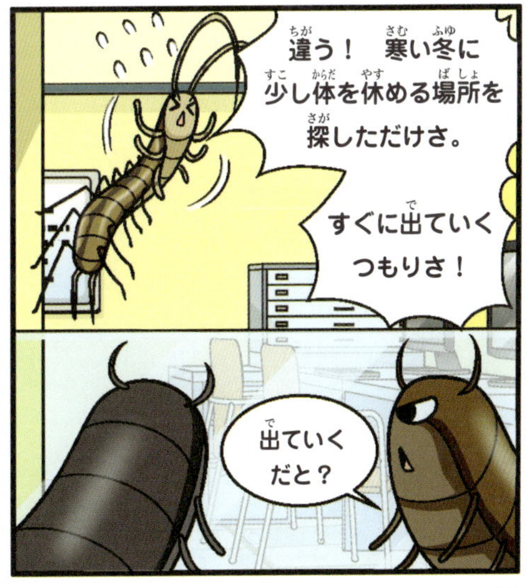
違う！ 寒い冬に
少し体を休める場所を
探しただけさ。
すぐに出ていく
つもりさ！
出ていく
だと？

どうせ君も僕らと
一緒。大きな飼育場に
いるのさ。
ここで
言うことか？
ギクッ

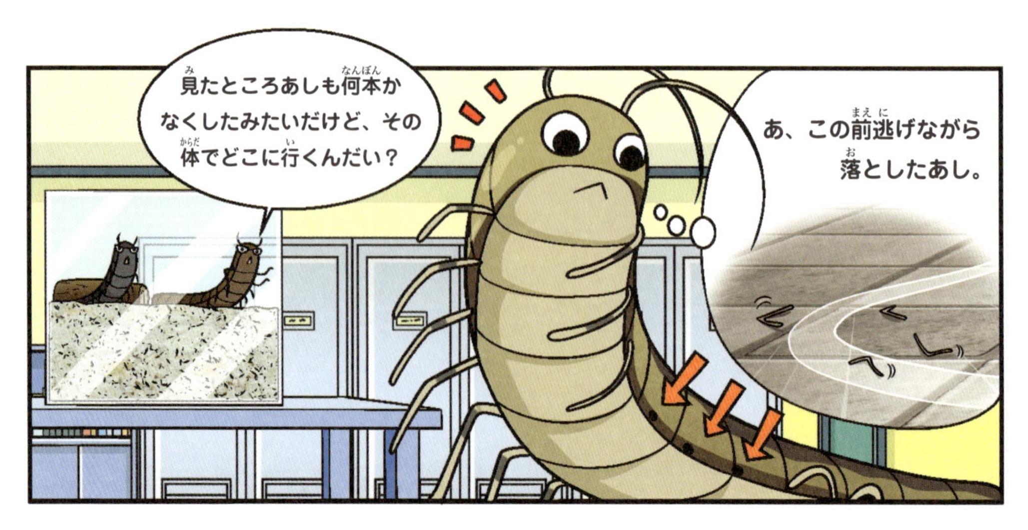
あ、この前逃げながら
落としたあし。
見たところあしも何本か
なくしたみたいだけど、その
体でどこに行くんだい？

もうすぐ新しい体に
変身するから！
フッ
平気さ！

プハハ、
本当に変な
やつだな。
ハハハ
何かマジックでも
するってか？
プッ

でも、実際にそれが起きました。
ハッ！

ほ、本当だ。
あいつ変身
してるぞ!!!
ブルルル
スーッ
ウウ、
生まれ変わる
んだ!
☆集中探究☆
節足動物は成長の過程で
体の古い殻を脱ぎ捨てます。
これを脱皮といいます。脱皮後は
体が一回り大きくなります。
脱皮したゲジの抜け殻
キラッ
ジャーン
あしも全部回復!
脱皮成功!
スラ〜ッ

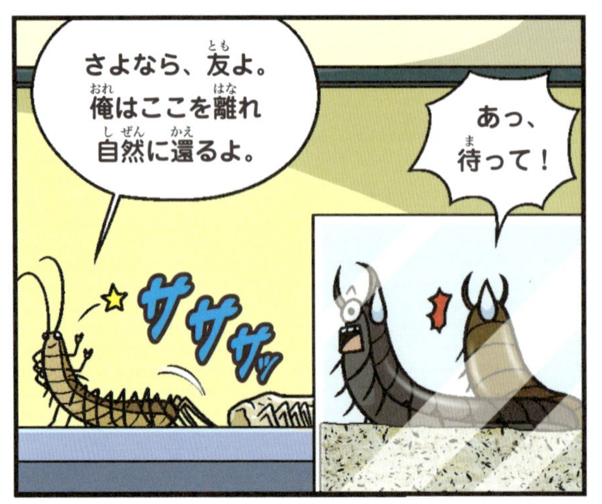
さよなら、友よ。
俺はここを離れ
自然に還るよ。
あっ、
待って！
ササザッ

本当に
行っちゃった。
カッコいいな、
ゲジのやつ。
ジ～ン……

よし、僕も
変身するぞ。
ブル
ブル
僕も僕も！
おい、君らは
まだまだだぞ～。
☆集中探究☆
ゲジ、ヤスデを含む多足類は
みんな脱皮します。

モグ
モグ
Z
Z
Z
ササザッ
フウ……
さよなら、博士たち。
俺はこれから自由を探しに
旅立つよ。おかげで暖かい
冬が送れたよ。

次の日の朝
ゲジさんが夜中に
脱皮したみたい！
みんな
集まって！
ゲジの
抜け殻！？
チーム・エッグ
事務所

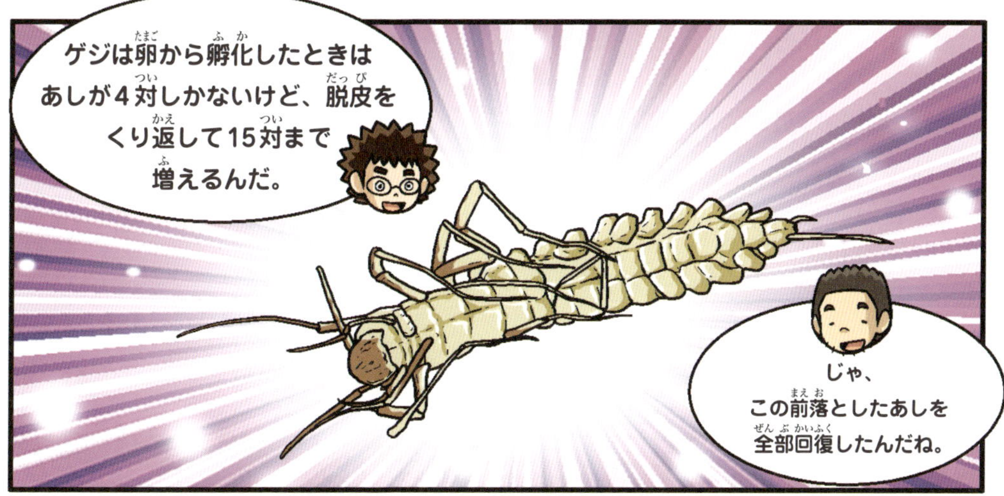
ゲジは卵から孵化したときは
あしが4対しかないけど、脱皮を
くり返して15対まで
増えるんだ。
じゃ、
この前落としたあしを
全部回復したんだね。

不思議だなあ。生まれ
変わった記念にお祝い
してあげなきゃ。
どこにいるのかな？
また探してみる？
キョロ
キョロ

ゲジさんはここから
旅立ったよ……。
え？　どうして
わかるんだ？

夜中に少し目が覚めたんだけど、ゲジさんが窓から出ていってたんだ……。でも、ゲジさんの瞳がまるで自由を求めて旅立つかのようにすごく幸せに見えた。
さよなら、エッグ博士。ありがとう……。
ゲジさん……？

元気かな……。
エッグ博士が悲しそう。
ヒソヒソ

あまり落ち込むなよ。たぶん産卵しに旅立ったんだよ。
そう？

ゲジの産卵と成長

ゲジは春から秋にかけて卵を産みます。孵化したばかりの幼虫には4対のあしがあり、脱皮をくり返しながら成長して約2年かけて成虫になります。成虫になったゲジは2～3年ほど生きるといいます。

ゲジの幼虫

翌年の冬
ビューーン
チーム・エッグ事務所

ビューーン
ブルブル

また力なの？
ガバッ
スタッ

ブ〜ン
ギクッ

冬まで生き延びた力は何を食べてたんだ！
ウオオオ、捕まえたらただじゃおかないぞ！
ブ〜ン
ブ〜ン
ドドド
ドタ
バタ
また始まった……。

昨年のこの時期、うちの事務所にうれしいお客さんが来てたね。
ムシャ
そうだね。おかげでらくに過ごせたよ。
コクッ

ヒュ〜
ゲジさん、元気にしてるかな。
チーム・エッグ

あれ見えるかい？　一時期パパがすんでいた暖かいおうちだよ。中に入って体を温めるかい？
うん、パパ！
チーム・エッグ
ブ〜ン
カのやつ！絶対捕まえてやる！
なんかまた会えそうな気がする。
エッグ博士、心配しないで。すぐにゲジさんが家族と一緒に訪ねてくるから。

第4話

ムカデ対タランチュラ

エイ！
エイッ！
タランチュラめ！
スーパーオオムカデで
やっつけてやる！
ピコ
ピコ
エイ！
エッグ博士、
何してるの？
ゲームの
最中みたい。

最近エッグ博士は
ゲームにはまってるね。
そうだね、
エッグ博士って
あのゲームの有名
プレイヤーなんだ。
オオムカデの
キャラクターを
使ってる
らしい。

ちょっと前まで
クワガタムシに
はまってたのに、今じゃ
オオムカデなんだね。
クワガタ
ムシ？

そうだよ！　誕生日
プレゼントにクワガタムシの
ぬいぐるみが欲しいって
言ってたじゃん。
え？
でもあげてない
けど？
クワガタエモン

え？　じゃ、エッグ
博士に何をプレゼント
したんだっけ？
え、えーと。
覚えてないよ。

エッグ博士の誕生日、野外で池づくりした日
クワガタ～。クワガタ～。
かわいいぬいぐるみが欲しいな～。
今日必ずプレゼントするよ。
うん。
ウワ、疲れた。
ギラ～ッ
ウワッッ、ヘビだ！
ヒ～ッ
ヘビ……!?
早く寝てしまった３人の博士たち。
グ～
グ～
グ～
ハッ！エッグ博士の誕生日、何もあげてなかった。

だから次の日表情が変だったのか！
根に持ってるはず。

２人とも、急いでどこに行くんだろう？
はて

ダメだ。今からでもぬいぐるみを買いに行こう。
オーケー！
ビュ～ン
あれ？

最初のぬいぐるみ屋さん
クワガタエモンありますか？
フリ
フリ
ありません。
2番目のぬいぐるみ屋さん
クワガタエモン……。
ないです。

クレーンゲーム
ない？
ないね。
フリマサイト
パチパチ
ウン博士：大型のクワガタのぬいぐるみ買います。
└→RE：カブトムシのぬいぐるみならあるけど……。
ハァ
ハァ
ハァ
クワガタエモン探すのってすごく大変！

ム・エッグ
事務所
どうしよう？
別のものを探そう。
トボ
トボ

みんな、どこに行ってたの？
ハッ、ううん。
ビクッ

ど、どこにも行ってないよ。気にしないで。
アハハ
スタタッ

作戦変更。
ヒソヒソ
了解！
うん。
後で夜に……。
あの２人……。僕に内緒で何を企んでる？

ノソ
ノソ

エッグ博士は確かに寝たよね？
ノソ
ノソ
うん、僕らが出かけたとは夢にも思わないよ。

ドローントンボ
スーパーオオムカデ
よし、今から虫ゲームに出てくるいきものを採集するぞ！
カッコいいいきものを見つけてエッグ博士に見せてあげよう！
横綱カミキリムシ
パワーカマキリ

2時間後
ハアハア……。
フウ……。

ハァ
今日に限って1匹も見つからないね。何も捕まえられないなんて……。
ハァ

お腹もペコペコ。非常食でも食べよう。
そうしよう。
スッ
ガバッ

鶏肉のおやつどこだっけ？
ガサ
ゴソ
あれ!?

あった！食べながら次の作戦考え……。
ハッ、待って！あれ見て！
クンクン、うまそうなにおい……！
スーッ

いろいろなムカデたち

節足動物の多足類に属するムカデは体がいくつもの体節に分かれていて、毒を分泌する大きなあごを持っています。世界中に広く分布し、約３千種が知られています。

アカズムカデとアオズムカデは、生物の分類としては、オオムカデの仲間に分類されます。

ⓒ国立生物資源館（韓国）

☆注意☆
ムカデには毒があるので、信頼できる大人と一緒に採集してね。子どもだけでは絶対にやめてね！

スッ
よし、
入った！
エッグ博士の
ための秘密
ミッション成功！
スーパーオオムカデ
MISSION
CLEAR
ムカデの
採集成功！
バタ
ジタ
早くふたを
しな！
やったね、
ヤン博士！
フウ、
大変だった。

クソ……！
ただじゃ
おかないぞ！
エッグ博士、
今行くぞ！
スーッ
ヤン博士とウン博士を見つめる
新たな影の登場！?

影の正体はどれだろう？

ヒント：影の正体の特徴

❶世界中に広く分布し、あしが多い。

❷毒を持っている。

❸繁殖期にはメスとオスが一緒にいることがある。

あっ！　あるいきものがウン博士とヤン博士をにらんでいるよ。
影の様子と下の６つの動物をよく見て
左ページの影はどんないきものか、当ててね！
下の①〜⑥のどれかに○をつけよう。

①

②

③

④

⑤

⑥

正解：150ページ

第5話

ムカデ夫婦の反撃

チーム・エッグ
コッ
コッ

はは、ひっかかった！
パッ
ギクッ
ギクッ
エ、エッグ博士！

クルッ!
君らさあ、最近ひどすぎるよ～！2人だけで話すし、2人だけで出かけるし。
ふーんだ!

誤解だよ！ 僕たち、誕生日プレゼント渡してなかっただろ。
それで君が好きそうないきものを連れてきたんだ。
ガサ
ゴソ
え？いきもの？

これだよ、
ムカデ……。
ムカデだ！
…？
ビューーン

僕の虫ゲームのキャラクターがムカデなのを知って連れてきたの？
キャ～
ポカ～ン

ムカデはメスとオスが一緒にいることがあるって聞いてたけど。
僕らが捕まえたムカデのパートナーがここまでついてきたのかな？

じゃ、オオムカデが全部で２匹？
キラキラ

ウワッ！
２人とも、本当にありがとう！
あなた！
あれ、どうしてお前がここに！
グイッ

ムカデ夫婦の涙ぐましい再会物語

☆注意☆
危険だから、慣れている大人以外は触らないでね。
もし触るときは、必ず手袋をしてね！

ウワッ、
あなた!!
バタ
バタ
ダメ!
僕たちを
離すな!
よくも妻と
離れ離れに
させたな!
毒ヅメの威力を
見せてやる!
シャーーッ
ポトッ
お前たち……!

だろ?
あの威嚇のポーズ
見てよ!
毒ヅメ、
めちゃカッコいい!
すごいね?
あれ?

カシャッ
ウワ、すごく
写真映えする！
カシャッ
カシャッ
な、何だ？
いきなりトップモデルに
なった気分。
キャ〜。
オオムカデさん、
カッコいい顔
見せて。
ムカデはいくつもの
体節に分かれた細長い胴体と、
たくさんのあしを
持ってるんだ。
ムカデの外見
あし
胴体（いくつもの体節）
頭
触角

背中は硬い殻で覆われてるんだ。
まるで鎧をつけてるみたい。
りりしい

でも、殻は水に強くないんだ。
それで、体にある気門に水が入るとたちまち窒息するんだ。
気門
ムカデにそんな弱点があったとは。
チェック
チェック
©The Egg

尾節（しっぽ）
頭
しっぽと頭が似てるから見分けがつかない～。
頭には1対の触角と目、大あごがあるよ。
こっちがしっぽ。しっぽには触角のようなあしがあるんだ。
しっぽ
頭

目と顎肢
よく見るとムカデの目はいくつかあるけど、
退化してほとんど前が見えないんだ。触角が目の役割をしてるよ。
複数の単眼
顎肢は先が鋭い爪になっていて毒が出るんだよ。
そうだね。ムカデはあしを毒ヅメに進化させたんだ。
顎肢

へへ
僕がゲームでムカデのキャラクターが好きなのは、毒ヅメがあるからなんだよ！
すごくカッコいい！ムカデ君。
ポリッ
て、照れるなあ。みんな僕らを嫌がってると思ってたけどほめられるなんて……。

イケナイ、
しっかりしなきゃ！
妻がどこかに連れて
いかれたんだ！
ハッ

さあ、撮影が
終わったからヤン博士の
方に行こう。

僕はまだ
怒ってるん
だぞ！
ドン
サッ
ササッ
早く僕の妻を
連れてこい！

キャ〜ッ！
これは妻の
さけび声!?

ムカデも
昆虫ゼリーが
好きなんだね？
甘くておいしい〜。
初めての味！
モグ
モグ
モグ
あれ？
妻は完全に
飼いならされてるんじゃ
ないか？

おお、ヤン博士。
立派な飼育場を
つくったんだね。
さあ、
パートナーの方へ
お行き。

お前〜、
僕だよ！
あっ、あなた！

ここすごく
いいわ。おいしい
ものもあるし、
過ごしやすいの。
そうかい。
世の中は僕らを
嫌がる人だけじゃ
なかったんだね。
スルッ

やった！
オオムカデで
素晴らしい動画を
撮影しよう！
賛成、賛成！
ウハハハ
僕ら、あの人たちを
信じてみるかい？
コクッ
うん！

第6話

ムカデの抱卵

シーン

メスムカデの
飼育場

エッグ博士!!
ウン博士!!
チーム・エッグ
どうしたの、
ヤン博士！

これ見て！
メスのムカデが身を縮ませて
動かないんだ。
死んじゃったの
かな？
メスムカデの
飼育場

ウウッ、確かに
昨日まではよく食べて
よく遊んでたのに……。
あっ？
あれは?!

ププッ
クスッ
何だよ、
こんな状況なのに
笑うの!?

ムカデの抱卵（卵を抱くこと）

ムカデの卵

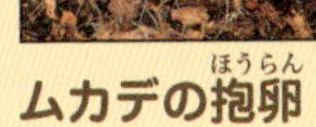

ムカデの抱卵

ムカデの幼虫

ムカデは春から秋にかけて卵を産みます。体を丸くして30～60個の卵を一度に抱きかかえます。じっと卵の世話をしながら、卵にカビが生えないよう時々なめてあげます。

約3週間後
クネ
モゾモゾ～！
かわいい～！
ウワ、
ついに卵が
孵化した！
クネ

30匹ぐらい
じゃない？
小さくて
透き通っていて
すごく弱々しい。
オスのムカデの
飼育場
ソワ
ソワ
僕だって
子どもたちを
見たいよ！

お疲れさん、
腹ペコだろ？

もう、あっち
行って！
ビクッ
キャーッ
ウワッ！

メスのムカデがどう猛になっちゃった。
ブルブル
すごくカッコいい！さすがママは強いよ。
チェックチェック
気をつけた方がいい。今、母親は子どもたちを守るために敏感な状態なんだ。

ゲッソリ
子どもたちの面倒で色も薄くなってだんだんやせてきてるみたい。

何だか心配だよ。
いい方法はないかな？

子どもたちを隔離しよう。
どうやって？

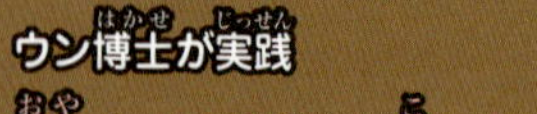

ウン博士が実践

親ムカデと子どもたちを隔離

❶親ムカデをそっと刺激して子どもから離した後、用意していた容器に移す。

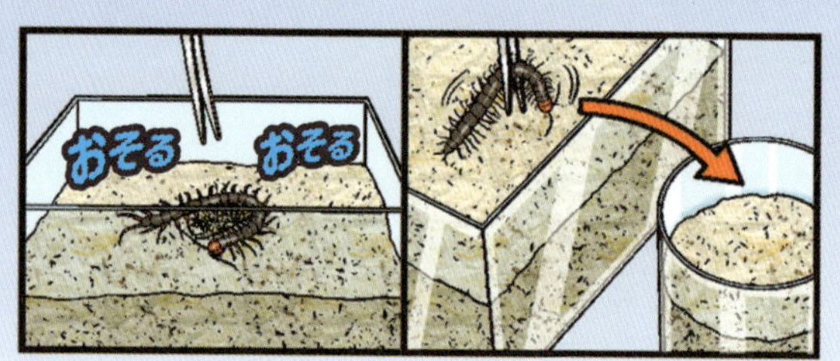

☆注意☆
親ムカデが飛び出すことがあるので、大きな容器の中で隔離する。
敏感な時期のため、慎重に慎重を重ねること！

❷親ムカデが元気を回復できるよう周りに十分なえさを置く。

☆注意☆
えさは十分に与え、えさの残りはすぐにかたづける。
子を失ったことがストレスになることがあるので、えさの食べぐあいなどを見ながら、注意深く世話をする。

❸子どもたちはとても弱い状態なのでケガをしないように管理する。

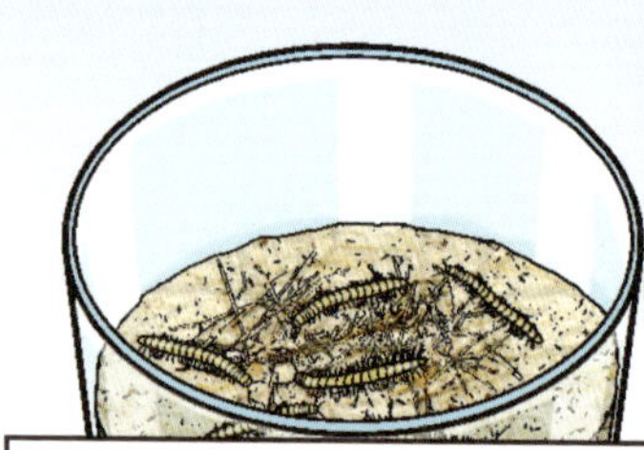

☆注意☆
飼育温度は23～25℃が適温。
子ムカデは何度か脱皮するので周りを清潔に保ちえさを十分に与える。

シーン……
メスのムカデが少し落ち着いたみたい。

ガソ
ガソ
また何事だろ？

ガソ
ドン
早く私を夫のそばに連れてってって！
ドン
うん。
ガソ
オスのところに行きたいんだね～。

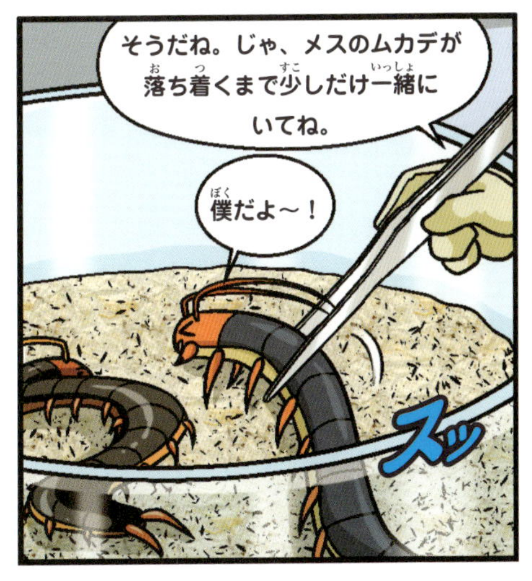
そうだね。じゃ、メスのムカデが落ち着くまで少しだけ一緒にいてね。
僕だよ～！
スッ

なあ、子どもの面倒で疲れただろ？
グイッ

あっち行って。
一人になりたいの。
クルッ

妻が全然
元気がない。

パラ
パラ
オ〜、
えさだ！
ムカデ夫婦さん、
おいしいもの
食べて元気
出してね！

よし。妻は
捕まえる元気がないから、
僕が捕まえてやる！
メラメラ

うっ。
モゾ
グー
モゾ

パクッ！
ブスッ
あなた!?
ガブッ
シュ
シュッ
ミルワームに
続き！
コオロギ！
ガザッ
ドジョウまで！
フッ、
おなかいっぱい
食べなよ。
パク
パク
ドッサリ
フッ
あなた、
ありがとう。
おかげでらくに
食べられるわ。

捕まえるのがうまいね。
最高！
オオムカデ、君ってすごく強いんだね！
えっへん。
サッ

ムカデ君、これ見てくれない？ゲームの中の僕のキャラクターなんだけど、クモに負け続けてるんだ。いい方法ないかな？
ハッ、僕の仲間がやられてる！
LOSE

とうとうムカデに相談するとは。
エッグ博士がゲームにすっかりはまってるね。
すごく面白いんだね。

あっ、また攻撃された！
プシュ〜
ドカッ

バトル記録
スーパーオオムカデ
1
ID:エッグ博士
クモ大王
3
ID:タランチュラ
毎回こうやってクモキャラにだけやられるんだ……。
ウウッ
みじめだね……。
チッチッ

メラメラ
ピロ〜ン♪
タランチュラさんからのメッセージです。
IDを見たところ、あなたエッグ博士ね？ タランチュラにも勝てないのにいきもの博士だって！ 最強なのはクモだと認めなさいよ！ プハハハハ！
何だと!? この生意気なやつめ!! 見ておけ！
エッグ博士のライバルが現れた！

在来種と外来種のムカデの写し描き

在来種のムカデ（トビズムカデ）：日本にもいるオオムカデの仲間。
体長８～15cm。

スペースにムカデの絵を同じように真似て描いた後、
好きな色で塗ってみましょう。
簡単だね。
外来種のムカデ（ペルビアンジャイアントオオムカデ）：南アメリカにいるオオムカデの仲間。
体長はふつう20〜30cm。

第2章

クモとサソリは親戚？

クモとサソリはクモ綱に属する生物で、遠い親戚の関係です。
クモとサソリの間には、どんな共通点があるのでしょうか？

クモの森から届いた招待状

そう。
これからはその恐怖心に
打ち勝つんだ……。
フフフ
君さあ……。
クモに恐怖心が
あるからゲームに
負けるんじゃ
ない？
ヒソ
ヒソ
ヒソ
ヒソ

もう
いい!!!
ギャッ

そんなところ
行くもんか！　負け
続けた方がまし！
エッグ博士が
思ったより
嫌がってるね。

よし、
いろんなクモに
会いに行こう！
じゃ、僕らだけで行こう。
クモの森なんて素敵な場所は
見逃せないよね。
ふん、勝手に
行けば！

ササザッ
ササッ
ここが
クモの森か！
クモが
たくさんいる
みたいだね。

あのクモから
始めよう！
ワ〜
よく来たね〜。
クモは初めてだろ？
カッコよく撮って
くれよ〜。

エッグ博士が
来なかったのは
正解かもね。
そうだね。撮影
どころじゃない
だろうし！
息ピッタリ
すごくでかい
クモもいるかな？
もちろん！
楽しみだ！

クサグモ
みんな、このクモはよく見られるクサグモで、背中には黒い縞模様が2本あるんだよ。
モグ
モグ
あっ、狩りしてる！
ⓒ国立生物資源館（韓国）
ウツキコモリグモ
ウツキコモリグモはクサグモとは異なり、網を張らずにえさを探し回りながら狩りをします。
ウワ、クサグモよりあしが長い。
ⓒ国立生物資源館（韓国）

どのクモも網を張るわけじゃないんだね。
☆集中探究☆
クモのさまざまな狩りのしかた
造網性のクモ：網を張って狩り。
徘徊性のクモ：動き回りながら狩り。
定住性のクモ：穴を掘って獲物を待ち構える。
うん！　クモは生活のしかたによって造網性のクモ、徘徊性のクモ、定住性のクモに分かれるんだ。あっちに行ってみよう！

イエオニグモ
イエオニグモを見て。
背中の模様がすごくカッコいいでしょ？
カがかかったな。
©国立生物資源館（韓国）
一瞬でえいっ！
パパッ
僕らのライトに集まったカを捕まえてる。
ククッ。おかげでカに刺されないね。
ぽっちゃりしててうまい。
ムシャ
ムシャ
☆ヒント☆
照明が明るい場所の周りをよく見るとクモとクモの網を見つけることができるよ。
アシダカグモ
©photolibrary
ガケジグモ
©国立生物資源館（韓国）
すごくすばしこいね。
ジロッ
警戒
あしを大きく広げてるね！
ガケジグモはトンネル状の網を張るんだ。

おお、ついに
タランチュラ級の
クモ発見！
オニグモ
ド
大きな円形の
網を張るよ！
オオ
ドーン
©国立生物資源館（韓国）
成人の指の節
2つ分くらいだね。
カシャ
カシャ
お尻からクモの
糸が出る様子を
見て！
こんなクモが
いるんだ。

やっぱりクモはゲームの中の
キャラクターのように最高の
ハンターらしいね！
その話は
エッグ博士が
嫌がりそう。
カシャ
カシャ
認めるよ！
クモの森最高！
でも本当だろ？

チーム・エッグ
事務所

クモの森か……。
フム……。
行ったり
来たり
ウム……。

タランチュラにも勝てないのにいきもの博士だって！プハハハハ！
ククク
よし、生意気なあいつに勝てるなら！
ゴクッ

ガシッ
よし、行ってみよう！
ヤン博士、ウン博士も行ってるだろうし平気だろう。
モタモタ
え？　ムカデ君も一緒に行くって？　サンキュー！
義理
僕がいつ……！
ガシッ

少し後
来たぞ！
クモの森！
ヒュウ
ヒュウ
今日こそクモと
勝負のケリを……！

ギュッ
よ、よし！
集中！

エッグ博士！　まだ
震えるのは早い！
しっかりして！
ケ、ケリを
……。
ブルブル

クモに対する
恐怖心を克服
するんだ！
グッ
強力な毒ヅメを
持つ、ムカデ君と
共に！
がんばれ！
エッグ博士！

ダ
ダ
クモたち！
エッグ博士が
行くぞ！
ダ
ダ
いいぞ、
走れ！
走れ！
ブラン
パラ
パラッッ
ブラン
ギャッ
ビクッ

ウワア。クモの
集団だ……。
こんなに集まっているなんて
予想してなかった……。
コチーン
ヨロッ
ウワッ、
しっかりしろ！
エッグ博士！
スーッ

ウウ。
スーッ
ズデン

ねえ、大丈夫？
うん……？

ドーン
ピカッ
ゲッ！

タ、タ、タ、タランチュラ……、ゲッ。
ボリッ
あら、完全に気絶しちゃった。
エッグ博士！ここで気絶しちゃダメだよ！
ドタッ

第8話

タラのクモ研究所

この子、誰？
グ～グゥ～
初めて見る顔じゃない？

ジロッ
ジロッ
他人の研究所で勝手に寝てるのは誰？
もしかしてスパイ？
ムニャ……

そりゃいけない！
早く何とか
しなきゃ。
フフフ
クモの糸でがんじがらめに
してやろう！
10年分の
えさに
なるぞ！
いい
アイデア！

待て！

隊長が連れてきた奴だ。
まずはそのままにしておけ。
スッ……
タランチュラ
副隊長！
わが隊長が
自ら？
じゃ、
しかたない。

チョロ
新しい虫か？
隊長と同じ種類にも見えるし。
でも、すごく面白い顔だな。
チョロ
チョロ
ウロ
ウロ
僕らと違う形だね。

な、何だ！侵入者が他にも？
どこかに隠れてるみたい！
右往
左往
あいつらも目がよく見えないみたい。

エッグ博士、起きろって～!!
あのイライラする奴らめ！
ガン
ガン
ガン

クモについて知ろう

1. クモと昆虫の比較

クモの体は頭胸部と腹部の２つに分かれています。昆虫の体は頭部、胸部、腹部の３つに分かれています。

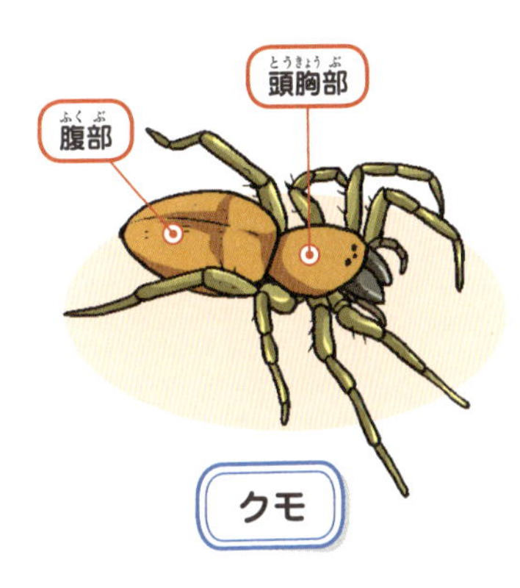

クモ

昆虫

2. クモの体の特徴

触肢　オスの触肢には生殖器の役割があります。

出糸突起（糸いぼ）　糸を出すのに使用します。

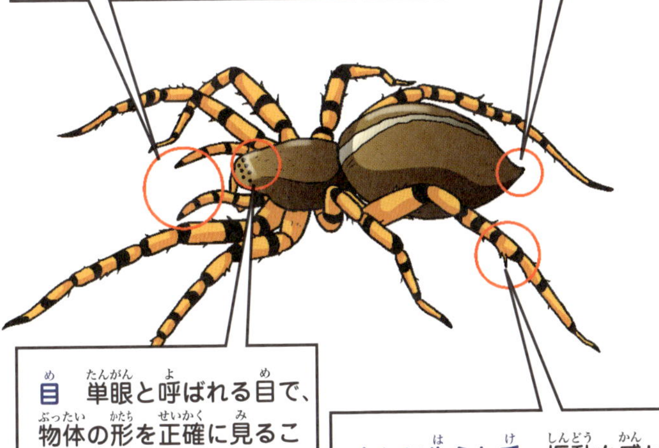

目　単眼と呼ばれる目で、物体の形を正確に見ることができません。

あしに生えた毛　振動を感じ獲物や敵の動きを把握します。

みんな、
ただいま！
ガタン
あっ、
隊長だ！
隊長！

今日もクモの
森のかたづけ、
完了！
ドン
かたづけ道具
うっ！
さすが隊長、
今日もお疲れさま
でした。
ゴロゴロ

この子はまだ寝てるのね？
いい加減、起きなよ。
ウウン。
ユサユサ

ガバッ
ハッ！
こ、ここは……、
クモ地獄？
ジリ
ジリ
氷のバリア
クモ地獄だって！
ここはクモを研究する
私の研究室よ。
チラッ
誰なの……？
ニン
マリ
私はタラよ。クモを
率いてクモを研究する
クモ隊長なの。
クモ隊長？
そんな隊長が
いるの……。

ところで、研究室がどうしてこんな
なの？ 掃除しないの？
何？

何よ～！
これぐらいならすごく
きれいな方よ！
コチーン
気絶してたから
連れてきてあげた
のに！
カーッ
ウワッ！

それはそうと、
クモが怖いという噂は
本当だったのね！
プッ
何だと！?
カーッ

そんなんでこのクモの
森から脱出できる？
チチッ
ウウ。

もちろん！　ムカデが
僕を守ってくれるはず。
頼もしい味方がそばにいるのに
怖いはずないだろ？
ほほー、
ムカデなんかでうちのクモの
相手をするって？
ジジジ
ジッ

クモ
対
ムカデ
大丈夫かしら？　うちのクモはジャンプ力がハンパないのよ。ムカデに耐えられるかしら？
そうかい？　うちのムカデには鋭い毒ヅメがあるよ。
すごいジャンプ力
鋭い毒ヅメ

気をつけな！　クモはかんだとき、毒で相手をまひさせて体液までチューチュー吸い取るんだから！
ヒュー
ノン
ムカデの毒がどれだけ痛いのか知らないんだね。かまれたらすぐさま病院送りさ。
ノン
かんだとき、毒を注入
痛～い毒

ムカデはクモみたいに糸を作れないでしょ！　身動きできないようにしてあげようか？
クモの糸でがんじがらめにしてやる。
メラメラ
ササッ
速い動きでクル～ッ！
ムカデはすごく速いんだぞ！　クモはそれに比べたらノロノロさ！
ネバネバのクモの糸
速い動き

ゼイ
ゼイ
……。
……。
ゼイ

まあ、認めるよ。どっちとも
いきものならではの
魅力があるし。
そんな
クールに
認める？

やっぱり自然の
いきものチャンネルを
やってるだけあるね。
僕の
チャンネル
登録者？

うん、コメントも
よく残してるよ。
あっ、ほ、
本当？
ポーッ
エッグ博士
Egg&Bugs
登録済み
コメント 4.6千
11分前
ウワ～、面白かったです。エッグ博士～、早くまた
別の映像をアップしてください！ 待ってます！
764
23

ところで、クモの動画は
どうしてアップしないの？
ずっと待ってるのに……。
ちょ、ちょうど
友だちが撮影してる
ところだよ。
僕は怖くて……。

やっぱりあなたは
クモが怖くて撮影から
抜けたのね？
弱虫ね！
ツン
ツン
何？　僕が
弱虫だと？
弱いね。

だからゲームで
タランチュラにいつも
負けるのよ。
ガガーン
ハッ、どうして
それを？

待てよ、まさかお前か？
「ID：タランチュラ」
って？
今ごろ気づいたの。
そうよ！　招待状は
私が送ったわ！
パチ
パチ

タランチュラとオオスズメバチ

タランチュラ観察レポート

わかったこと：

気になったこと：

クモであるタランチュラと昆虫(こんちゅう)であるオオスズメバチをテーマにした観察(かんさつ)レポートを自由(じゆう)に書(か)いてみよう。

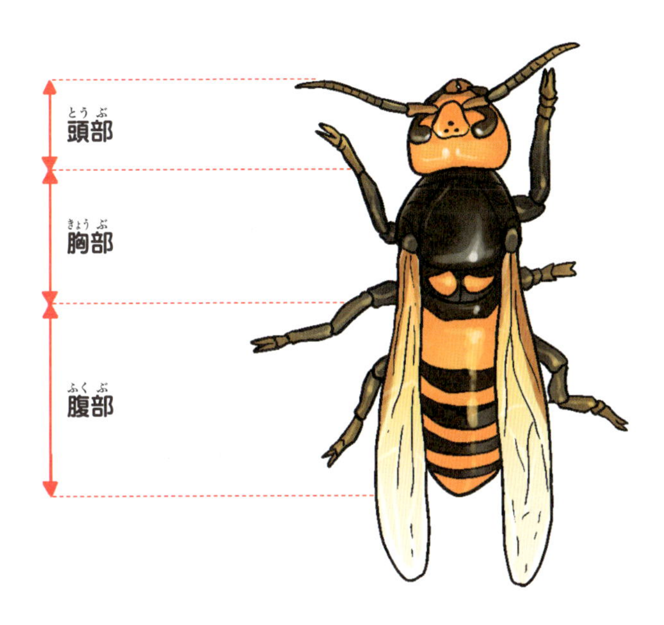

オオスズメバチ観察(かんさつ)レポート

わかったこと：

____

____

____

気(き)になったこと：

____

____

第9話

クモとの戦い

ゲームのメッセンジャーで招待状を送ったのはタラ、君だったの？
うん、あなたがゲームでかなり有名だったから招待状を送ってみたの。

でもあなたはクモのキャラクターに本当に弱いね。
グサッ

ところでエッグ博士、そんなにクモから逃げながらどうやってクモに勝つの？
何……？

待ってな。すぐに勝ってやるから！
勝負欲は強いのね。
でも現実は氷の壁の中

まあ、人によって怖いものは違うから理解はするわ。
でも、あなたのチャンネルの登録者の中には私のようにクモが好きな人も多いはずよ。
シュルル
あ……！
あなたが偏見を持たずにあらゆるいきものの映像を扱ってくれたらうれしいな。

招待に応じてここまで来てくれた勇気は認めるわ。
帰るときは私が安全に見送ってあげる。
ザッ

大丈夫、タラ。一人で帰るよ。
ニコッ

第1巻第3話参照
僕らには特別な使命がある！
そう、僕にはあらゆるいきものの魅力を伝える使命があるんだ！
大丈夫？
うん、平気だよ。今日はありがとう。
トン
トン
さあ、じゃ、始めるか？

エッグ博士初のクモ撮影、とにかくやってみるぞ！
サッ

一方、撮影を終えて帰ってきたウン博士とヤン博士。
エッグ博士〜、ただいま！
チーム・エッグ事務所

あれ？いないぞ。出かけたのかな？
よかった。この隙に早く映像を編集しよう。
ガラ〜ン

よし、よく撮れてるぞ。
でも＊産卵期の今、クモの卵と子グモが撮れなかったのが残念だね。
カタカタ
そうだね。

＊産卵期：卵を産む時期。

みんな……、ただいま。
ガチャッ
ハッ!

アタフタ
早く消そう！エッグ博士が見たらまた大変なことになる。

お帰り。どこ行ってたの？
ところでその顔どうしたの!?
ゲッソリ～

受け取って。
ポン
ヨロッ

バタッ
動画を１つ撮ってきたんだ。チェックしてみて。
少し休むよ。

あっ！

一人で何を撮ったんだ？
何だろう？
ガタッ

クモの森！？エッグ博士はクモの森に行ってきたんだ！
クモの森
こ、こんにちは、みんな。エッグ博士は現在、ムカデ君と共にクモの森に来ています……。

ク、クモの
撮影は初めてだよ。
いったい
どんなクモがエッグ博士を
迎えてくれるのか……。
おお！
ファイト！
ススッ
ガサッ
ウワッ！
ウワッ！
サササッ
……。
グワッ！
皆さん、
この周りはクモの
存在感がハンパ
ないです。
スーッ
カメラが
すごく揺れてる。
ネバー
ゲッ！！！

クルッ
ウワ、やだ！
クモの網！
ウウッ！
クモの網の襲撃を
受けました！
ドン
コロ
コロ
ドンドンドン
フフッ、すごく笑える！

あっ！
ムカデ君！
ムカデ君！
どこなの？
スッ

僕、ここ！
バタ
ジタ
はっ、クモの網に！

ハッ！
ド
ドーン
ウワアッ、びっくり。
コモリグモが現れた！
おお……、
コモリグモの親子を
とらえた！

み、みんな。ムカデ君がクモの網に引っ掛かりました。ムカデ君を救出しなくてはいけないのですが……。
ZOOM IN
多くのコモリグモは徘徊性で網を張りません。
ワア……。ところでコモリグモが数十匹の子どもを背負ってるよ。ムカデと同じで卵や子を守るんだね。
ジ〜ン
©Shutterstock
震えながらこの珍しい場面を撮影したんだね！
感動
卵や子を守るクモのメス
スッスッ
クサグモ
木の葉で卵のうを覆って侵入者から卵を守ります。
パクッ
アズマキシダグモ
卵のうを口にくわえたまま行動し卵と子グモを保護します。
ギュッ
ジョロウグモ
秋に卵を産み、卵のうを抱いて守ります。
カバキコマチグモ
卵のうを守った後、子グモたちのえさになります。

バタ
早く助けてよ！
何してる！
ジタ

おい、あんたたち！
うちの子にちょっかい出すんじゃないわよ！
サ
サ
サ
ザッ
あっ、そんなんじゃないよ～!!
ヒー

ビクッ
コトン

本当にすごい！　次は一緒に撮ろうね！
エッグ博士すごい！　クモを撮るのも上手だね！
ウワア、撮影はおしまい！　逃げるよ！
ダダ
ダダ
いや、いいよ……、今回が最初で最後だから。
ムリムリ

次の日
昨日アップした動画の反応をチェックしよう。
チーム・エッグ事務所

おお、初のクモ動画だからか反応いいね～。
オ～
あれ？

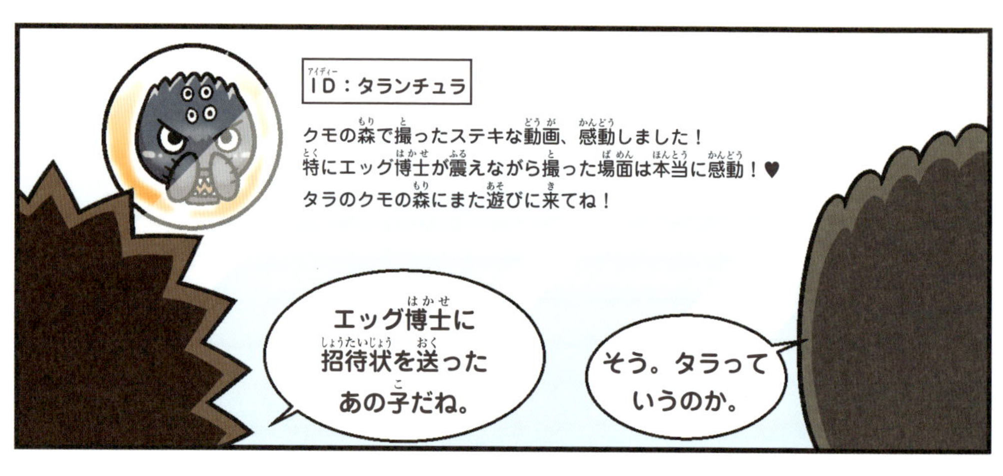
ID：タランチュラ
クモの森で撮ったステキな動画、感動しました！
特にエッグ博士が震えながら撮った場面は本当に感動！♥
タラのクモの森にまた遊びに来てね！
エッグ博士に招待状を送ったあの子だね。
そう。タラっていうのか。

エッグ博士、タラって子がコメントを残してるよ。
エイッ、ヤッ！
パパッ
シュシュッ
ゲームに没頭してるね。

オッ!?
オオオ！

クモ大王
スーパーオオムカデ勝利
WIN
ストン……
スーパーオオムカデ

ウハハハ
みんな、これ見て！ついにタランチュラに勝った～!!!
やっと!?
わざと負けたんですね、隊長。
ステキな映像に対する私のお礼よ！

第10話 サソリのスコール君初めての旅

末っ子ちゃん、
負けたから
行ってきてね。
穴の外で
20秒数えて
帰ってくるの。
ウッ。

ママが昼間は
外に出ちゃダメって
言ってたよ……。
最初に
決めたじゃない！
マゴ
マゴ
チッ！

やめなよ！
フィオの代わりに
僕が行くよ。
スッ
え？

さあ、
スコール様の
お出ましだ！
おい、
スコール！
タタタ
兄ちゃん！

アオアオ
ソロ
昼間の太陽、
久しぶりだ！
ソロ
ハーイ！ 僕はスコール。
アジアンフォレスト
スコーピオン家の2男3女の
4番目だよ！

僕らサソリの多くは、
昼間は穴に隠れていて
夜に活動するんだ。
バッタだ！
ダダダ
スコール！遠くに行かないで！
でも、好奇心旺盛な僕は
穴にいるだけじゃ退屈なんだ。

逃げるの上手だな。
ピョン
ノソノソ

スーッ
ウワッ！

ノソノソ
スタタッ
フウ、踏まれるとこだった。

ワンワン
ギャーッ！

ウウ、危ない
とこだった。
ヨタ
ヨタ
やっぱりママの話が
正しいみたい。昼間は
少し危ないや。

ただいま。
スコール！
兄ちゃん！

フィオ、見て。
体の色が変わっただろ？
ヘヘ～ン
オオ、
兄ちゃん、
カッコいい！
日光に
当たったん
だね。
ウワァ

スコール!!!
ギクッ

ママが昼間は
外に出ちゃダメって
言ったでしょ！
コラッ
怒られると
思った。
ご、ごめんよ。
ママ！

その日の夜
ママとパパが狩りに出かけてる間、みんな離れないで気をつけて遊ぶんだよ。
は〜い！
スコール！特にあんたは気をつけるのよ！
へへ……。

ヒョイ
さっき逃したバッタじゃないか！待て！
今度は逃がすもんか！
ダダダダ
お姉ちゃん、ほっとこう。行こう、フィオ。
あんた、またママの話を聞かずに好き勝手するつもり？
兄ちゃん！

じゃ、今日は何して遊ぼうか？
かけっこ？ハサミの手入れ？
アリの巣探し！
フン、つまんない。
オ!?
ムニャ

地球の果てまで
追ってくぞ！
ピョン
ダダダ

ウウッ、狩りに成功して
みんなに自慢しよう。
ゼイ
ゼイ
ハッ、
ここまで？

あっ！
ジャンプ

ジーッ
あ、あれ？

しつこい奴。
ピョン
ああ、
そんな！
すばしこい！

ウワッ！
いやだ！

ブルン
フィオ!!
ブルン
兄ちゃん……？

兄ちゃん！どこ行くの!?
ま、待ってよ！僕どこに行くの？姉ちゃん、フィオ！
キャッ、スコール！
ブーン

ウン博士の生き生き百科事典

アジアンフォレストスコーピオン

別名：チャグロサソリとも呼ばれる。

分布：東南アジア

大きさ：大型種に入るが、ダイオウサソリよりは小さい。

寿命：長くて10年ほどといわれる。

性格：比較的おとなしいが、
攻撃的になることもある。

特徴：①夜行性なので昼間は穴の中や石の下などに
隠れて暮らす。
②肉食性で昆虫などの無脊椎動物を
捕食する。

ピンポ～ン♪
チーム・エッグ 事務所
ヤッホー、
宅配便だ！

ヤン博士は最近
インドネシアのものに
はまってるから。
また？
インドネシアから
届いたラタン
バスケット！
ジーッ

どうしたの？
こ、これは！？

ウ、ウワ。
え？
ピタッ
どうしたの？

荷物が違う
じゃないか！
ガラガラ

あれ？　サソリの
人形も入ってる？
お～、生きてる
みたいによくできてる。

ビー
カチ
カチ
カチ
びっくり！
カチ

ウワッ
ウワッ、
本物のサソリだ！
どうなってんの？
カチ
シュッ
シュッ
カチ
カチ
スタタッ
ママ！　パパ！
僕、変なところに
来ちゃった！

サソリのスコール君の襲撃！

3人の博士を驚かせたスコール君の登場シーン。
2つの絵を比べて、違うところを10個見つけてみよう！

正解：151ページ

本格観察！アジアンフォレストスコーピオン

じゃ、あの箱に入って
インドネシアから来た
ってこと！?
そうだ、
そこから間違え
たんだ。
ユウヒ新聞
飛行機で女性の乗客が
サソリに刺される
……航空機内でサソリが騒動を起こすことはたまにある。
インドネシアの飛行機では機内の手荷物入れでサソリが
見つかったこともあった。このサソリは乗客の荷物に
くっついて手荷物入れに入ったものと思われる。……
そういえば、
記事で読んだことある！
飛行機内でサソリに
刺された人もいるんだ！
ハッ、
それは怖い！

珍しい機会だ。
サソリを近くで
見られるなんて！
準備して
くる！
じゃ、撮影
しよう！
タタタタ

サソリの姿を観察する
サソリは節足動物であるクモ綱に属し、体はクモみたいに頭胸部と腹部に分かれてるんだ。
そう、足も８本だし目も似てるよ。
ク、クモと親戚関係のサソリ……。どこがどう違うのか観察してみよう。
目
中眼
側眼
カシャッ
１対の中眼と小さな側眼があるんだ。
サソリの目は退化していて暗さや明るさが区別できるくらいだって。
クモと似てるね。
触肢
カシャッ
サソリの触肢はハサミの形をしているよ。クモにも触肢があったね。
こんにちは！私はクモ。
触肢
カチ
カチ
１対の触肢で獲物をしっかりつかむことができるんだ。

あし
サソリは4対のあしで歩くんだ。
カシャッ
爪
あしの先には曲がった爪があって毛も生えてるよ。
尾節と毒針
尾節の先には毒針があるよ。
カシャッ
毒針
尾節
毒針がすごくとがってる！
ウウ

マダラサソリ		アジアンフォレストスコーピオン
乾燥した環境	生息地	高温多湿の環境
体全体に比べ尾（後腹部）が長い	外見	体全体に比べ尾は短い
ハサミと毒針の両方を使って捕食	狩り	毒針を使うこともあるがおもにハサミで捕食

君は日本では見られないサソリなんだね……。
こっち見るな！

僕は子どものころ、サソリに似たいきものを見たことがあるよ。
本当？

おじいちゃん家でサソリのようにハサミがあって、すごく小さないきものを見たんだ。
チョロ
チョロ
あっ、赤ちゃんサソリだ！
はは、それはサソリじゃないぞ。
ハハ

もしかしてカニムシじゃない？
そう！カニムシ！
不思議だね。そんなのがいるんだね！
☆集中探究☆
カニムシ
サソリと同じクモ綱に属する動物で、土や木の皮の中、石の下などに生息しています。サソリのように1対の触肢（ハサミ）と8本のあしがあります。

とにかく大事なことは湿った環境が好きなサソリが今うちの事務所にいるってこと。
でもえさにまったく反応しない。
環境が変わったからかな。

そうだよ、ここは硬すぎるし気が滅入る。

あれ？

木と土だ！あの中に入りたい！
ジタ
バタ
鉢植えの方に行きたいのかな？
サソリは穴に隠れようとする習性があるとか……。

じゃ、サソリが隠れる場所を用意してあげよう。
よし、そうするとすぐに慣れて食欲も出るだろうね！
サッ

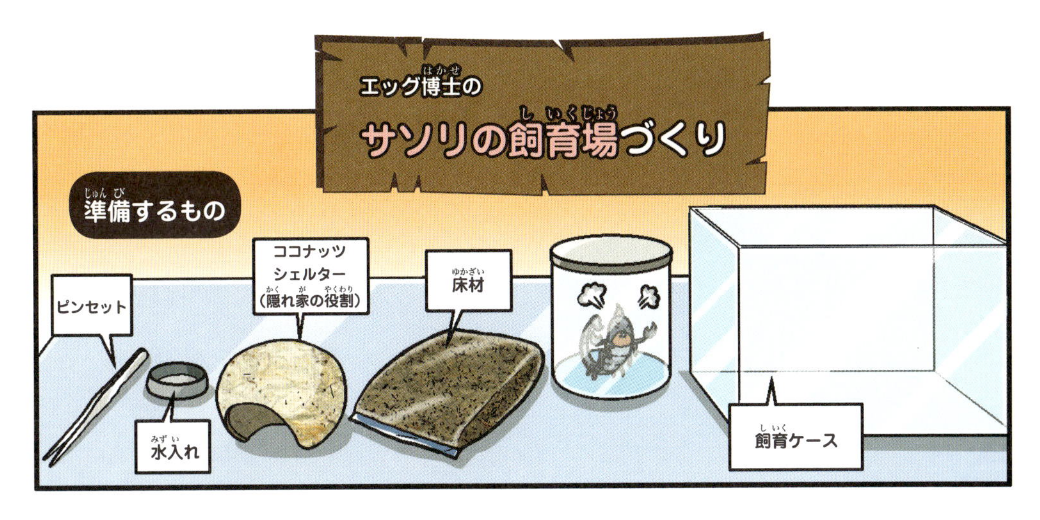

エッグ博士の
サソリの飼育場づくり
準備するもの
ピンセット
水入れ
ココナッツ
シェルター
（隠れ家の役割）
床材
飼育ケース

❶飼育ケースに床材を
敷き詰めます。
ザァ

❷床材をよく押します。
グッ
グッ

❸サソリが隠れる
ココナッツシェルターと
水入れを置けば完成！

気に入ると
いいな！
隠れ家だ！
☆ヒント☆
温度は28～30℃、湿度は約70％、
床材はいつも湿り気を保って
暖かくて湿度の高い環境を
つくってあげるよ。

へへ、ここで慣れるんだよ。
スコ～ル、君の名前はこれからスコールだよ。
これも縁だし、仲良くしよう。
僕の名前をどうして知ってるんだ？
スタタ

まあ、落ち着くけど。
チーム・エッグ

グーッ

ウム、さっき食べたらよかった。腹ペコだ。
スーッ

ガサッ
あっ、えさだ！

キョロ
キョロ
誰もいない
よね？

フフ、今回の狩りは
成功させるぞ！

ダダダ
コオロギを
捕まえてやる！
ガシッ
ジーン
寝ないで
待ったかいが
あった！
みんなは今
サソリの狩りの
場面を見てるよ！

第12話

夜空に浮かぶサソリ座

ママ、パパ。
元気にしてる？
チーム・エッグ
事務所
僕はここに来てもう10日になるよ。

ほら、あれが私たちの形をしたサソリ座よ。
僕に似てたくましいね。
みんな一緒だったころがなつかしい。
ジ〜ン

スコール君、寒くはない？
スコール君、床材もっと敷いてあげようか？
よしよし、スコール君、マンマ食べようね。
子ども扱いはやめて！
初めは慣れない環境でとまどったけど、今は元気に過ごしてるよ。
フッ

ここもいいけど……、家族のみんなに会いたいな。
ママ、パパ……。
友だちをつくってあげなきゃね。
今日はスコール君、とてもさみしそうだ。

スコール君の友だちづくりプロジェクト

数日後
ウワ〜、
アジアンフォレスト
スコーピオンのメスは
初めて！　雰囲気が
なんか違うね！
キラ
キラ〜

タラはサソリも
飼ってたんだね？

うん、クモとサソリは
似てる点が多いでしょ。
両方ともかわいいし。
ハハ……。
よし
よし

バイバ〜イ！
クモの森に
また来るよね？
そりゃ、
もちろん！
答えない。
……。

チーム・エッグ
事務所
スコール君、友だちを連れてきたよ！
あいさつしな、スコール君。アッポちゃんだよ。
ツーン

ウワ、久しぶりの仲間じゃないか！
こんにちは、アッポ！僕は遠くインドネシアから来たんだ。スコールって名前さ。
……。

仲良くし……。
パチン

あれがおうち？
あ、うん……。

入る？
クルッ
ツン
ツン

その日の夜

アッポ、ずっと
そこにいるの？
おなか空かない？
シーン
トントン
さっき入ってから
まだ出てこない。

家族と別れてから
ずっと一人だったんだ。君が来て
くれてすごくうれしい。
誰かが一緒に
いるだけで
元気が出る。
……。

サソリ座って聞いたことある？
僕たちの形からとった
星座なんだって。

私たちの……、
形をした星座？
ヒョコッ
あっ、
出てきた！

本当に私たちと似てるわね。
うん。以前、ママが僕たちに似た星座だって教えてくれたんだ。
あの星を見ると離れ離れになった家族を思い出すんだ。

ママも今ごろあの星を見てるかな？

たぶんあの星を見ながらあなたのために祈ってるはずよ。
どこにいてもたくましく過ごせるようにって……。
アッポ……。

スコール、いい日だし、一緒に踊らない？
スーッ

いいよ、アッポ！
ギュー ッ

シャラララー
ジーン
おお、婚姻ダンスを始めたみたい！
夜行性だから毎晩隠し撮りするのが大変だよ、ホント。
☆集中探究☆
サソリの婚姻ダンス
成熟したオスとメス１対のサソリがペアになると、手をつかむように向かい合いながらハサミをつかんで、互いに押したり引いたりしながら踊り始めます。そして、オスが精包（精子が入った袋状のもの）を地面に置くとメスがそれを体内に取り入れます。この行動を婚姻ダンスといいます。

数カ月後
ウワ！
みんな！
ーム・エッグ

ワィ
これ見て！
アッポが産んだ
子どもたちだよ。
ワィ

卵はどこだろう？
サソリは卵を産むよね。
しまった、
大事なシーンを
逃したか！？
カシャ
カシャ

サソリは卵を産まないんだ。
メスは、サソリの形をした
赤ちゃんを産むんだよ。
だから卵は見つからない。
本当！？

シッ！　アッポと
赤ちゃんたちが
休めるように！
あっ、ごめん、
ごめん。興奮
しすぎてつい。
体、大事に
するんだぞ～。
ドカ
ドカ
シーッ
ジ～ン

その日の夜
ジ〜ン
ママ、パパ、見てる？
僕、ついにパパになったよ。

僕もこうやってママの背中で姉ちゃんたちやフィオと一緒にくっついて過ごしていたころがあったよね？
フフ、かわいい子たち。
ママ！
ママ！
モゾモゾ
よしよし、かわいい子たち。

僕もパパになったからここで家族とたくましく幸せに生きていくよ。
アッポ、大変だったね。
ウ〜ン。

サソリの生殖

サソリは受精から数カ月～２年を経て、サソリの形をした子を産みます。赤ちゃんたちは母親の背中にくっついて生活します。

出産直後の子どもたち

１カ月後の子どもたち

☆注意☆

①母親が子どもたちを背中におぶっている時期は、できるだけサソリに触らないようにします。とても神経質な時期です。

②赤ちゃんがある程度まで育ったら、母親と子どもたちを離します。母親がストレスを受けると、子どもたちを食べる可能性があるからです。

少しだけ離れるよ、スコール。

少しの間バイバイ！

これからも
この事務所で新しいいきものと
大切な時間を共に
しよう〜！
いいぞ！

そうだね！
サッ

ほら、虫たちが
パーティーを
しているよ！
オオ、
なんだか
楽しそう！
次は彼らに
会いに行こう！
ザ
ザア
いきもの大好きな３人の博士の
楽しい観察はまだまだ続きます！
「ドクターエッグ４」おしまい。次回もお楽しみに！

サソリのスコール君の絵日記

スコール君の絵日記を見て、空いた吹き出しに合うスコール君とアッポちゃんのセリフを自由に書いてみよう。

正解：151ページ

チーム・エッグの制作日記①

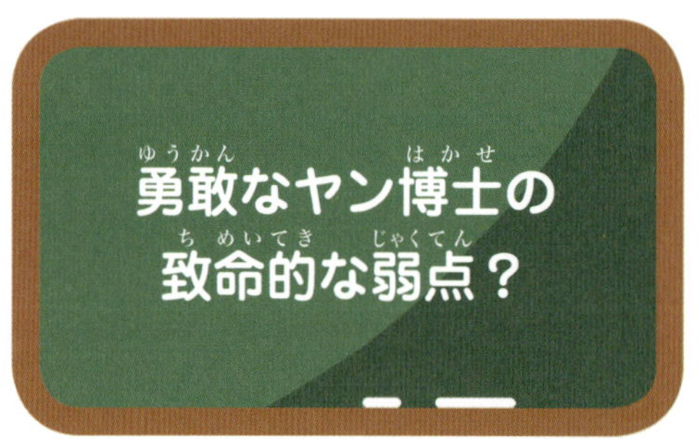

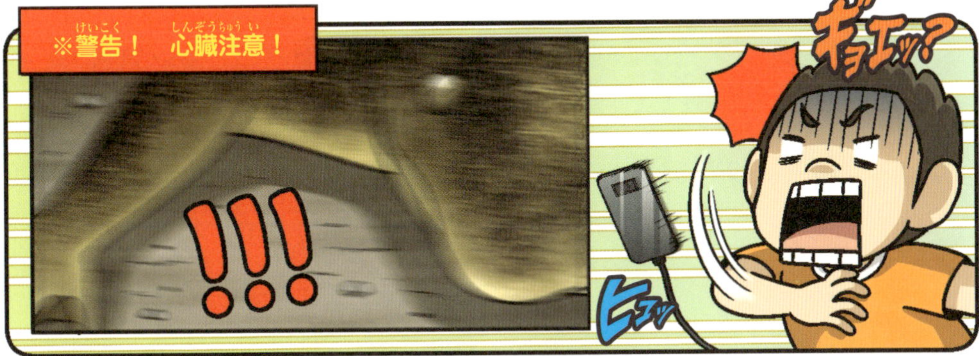

ヤン博士の弱点はヒキガエルお化けでした。

エッグ博士とオオムカデのぐらついた友情

仲良しでもムカデはムカデ！
かまれないように注意しましょう！

クイズの答えを確認する番だよ。正解を確認してみてね。

28～29ページ

50～51ページ

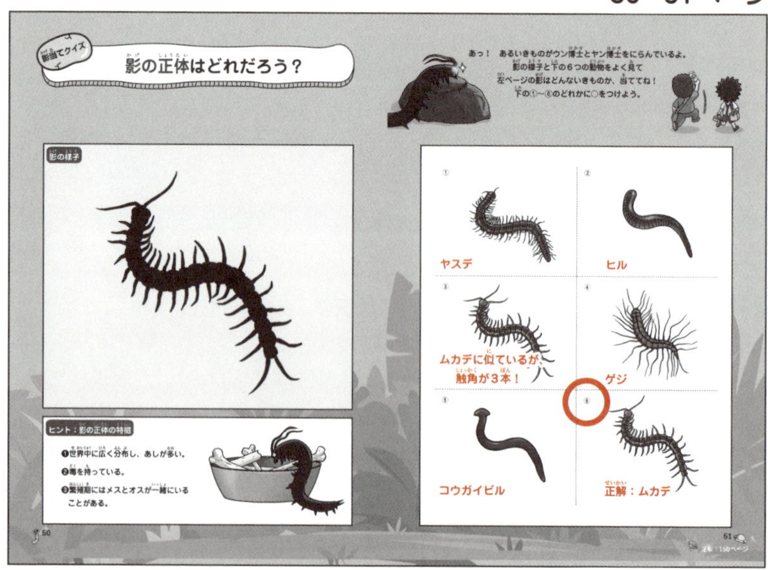

120〜121ページ

＊答えの例

144〜145ページ

ドクターエッグ4　ゲジ・ムカデ・クモ・サソリ

2022年9月30日　第1刷発行

著　者　文　パク・ソンイ／絵　洪鐘賢(ホンジョンヒョン)
発行者　片桐圭子
発行所　朝日新聞出版
〒104-8011
東京都中央区築地5-3-2
編集　生活・文化編集部
電話　03-5541-8833(編集)
03-5540-7793(販売)

印刷所　株式会社リーブルテック
ISBN978-4-02-332204-2
定価はカバーに表示してあります

落丁・乱丁の場合は弊社業務部(03-5540-7800)へ
ご連絡ください。送料弊社負担にてお取り替えいたします。

Translation：Han Heungcheol / Kim Haekyong
Japanese Edition Producer：Satoshi Ikeda
Special Thanks：Kim Suzy / Lee Ah-Ram
(Mirae N Co.,Ltd.)

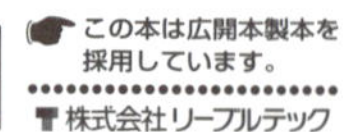